Cuando te cambias de casa

Guía para niños

por
Michaelene Mundy

Ilustraciones de
R. W. Alley

SAN PABLO

Para Emmy, que se cambió
de Indiana a Nueva York

Centro Iberoamericano de Editores Paulinos (CIDEP):
Barcelona, Bogotá, Buenos Aires, Caracas, Lima, Lisboa,
Los Ángeles, Madrid, México, Miami, Nueva York, Panamá, Quito,
Santiago de Chile, San José de Costa Rica, São Paulo, Sevilla.

© SAN PABLO 2006 (Protasio Gómez, 11-15. 28027 Madrid)
Tel. 917 425 113 - Fax 917 425 723 - secretaria.edit@sanpablo.es
© Abbey Press - St. Meinrad, Indiana 2005

Título original: *Saying Good-bye, saying Hello...*
Traducido por *Gertrudis Criado Rubio*

Distribución: SAN PABLO. División Comercial
Resina, 1. 28021 Madrid * Tel. 917 987 375 - Fax 915 052 050 - ventas@sanpablo.es
ISBN: 84-285-2933-7
Depósito legal: M. 27.276-2006
Impreso en Artes Gráficas Gar.Vi. 28970 Humanes (Madrid)
Printed in Spain. Impreso en España

Mensaje a los padres, profesores y otros educadores

Todos nos hemos cambiado de casa alguna vez en nuestra vida y posiblemente recordemos cómo nos sentíamos. Si nos mudamos cuando tenemos niños pequeños, debemos ayudarles a sentirse seguros entre tanto ajetreo por los cambios que una mudanza conlleva.

Dependiendo de la edad del niño, es conveniente decirle lo antes posible que os vais a mudar y explicarle por qué. Le ayudarás a entender que las cosas cambian, incluso el lugar en el que vivimos. Sin embargo, explícale también que la gente que os quiere seguirá siendo parte de vuestras vidas.

Cuando comiences a empaquetar cosas, intenta que colabore en la medida de lo posible. El día de la mudanza trata de llevar su dormitorio lo primero, así estará ocupado desempaquetando sus juguetes y libros mientras que tú dedicas tiempo a otras cosas. Además, él se sentirá más seguro al estar rodeado de cosas que le resultan familiares mientras que en el resto de la casa puede haber bastante desorden.

Tras el cambio, intenta mantener cuantas más rutinas mejor, esto ayudará a los niños. Quizá tengas, por ejemplo, una rutina antes de irse a la cama. Si es así, debes continuarla (bañarles, contarles un cuento, hablar sobre lo que han hecho ese día o sobre lo que harán al día siguiente).

Va a ser duro también para vosotros, los padres, incluso aunque el cambio sea para mejorar la situación actual. Los niños captan el nerviosismo y el estrés. Como adulto, ayúdale a que vea lo positivo de un cambio de casa, aunque también conlleve cierto temor al tener que conocer nuevos lugares y nueva gente y cierta tristeza por las despedidas. Explícale que se despedirá del antiguo vecindario, pero que tiene suerte porque va a conocer a mucha gente nueva. Ayudando a tus hijos a que se adapten te ayudarás a ti mismo.

Michaelene Mundy

¿Por qué se cambia de casa la gente?

Quizá no entiendas por qué os cambiáis a otra casa. Habla con tus padres y con otros adultos para que te ayuden a entenderlo.

Mamá y papá a lo mejor han encontrado un trabajo nuevo y se van a cambiar más cerca para tardar menos en llegar al trabajo. Puede que tu casa sea demasiado pequeña para toda la familia. O quizá sea porque quieren vivir más cerca de tus abuelos.

A veces, el cambio no supone que vayas a estar más cerca de las personas que quieres. No te preocupes: te visitarán y tú les visitarás a ellos. Además, puedes pasar el fin de semana con ellos (a lo mejor no lo habías hecho cuando vivíais cerca).

¡Cuántos sentimientos!

Tendrás muchos sentimientos distintos a la vez porque tu familia se cambia de casa. Estarás enfadado, contento, temeroso, alegre, tímido e incluso puedes sentirte solo. ¡Todos a la vez!

Tus padres también sentirán todas estas cosas tan distintas a la vez, pero saben que verán y harán muchas cosas nuevas. Conocerán a otra gente y visitarán lugares que nunca antes habían visto. La familia vivirá muchas experiencias inolvidables con el nuevo vecindario.

El cambio de casa hace que la gente se sienta feliz y triste al mismo tiempo. No pasa nada. Sólo recuerda que te lo vas a pasar muy bien y eso te hará sobrellevar mejor la parte más negativa.

Decir adiós

Antes de irte de tu antiguo vecindario, date una vuelta con tus padres. Para tus adentros, despídete de los lugares, la gente, o lo que te resulte más familiar. Puedes decirle adiós a los árboles, a las plantas, a los edificios e incluso a las mascotas de tus vecinos.

Hay gente que antes de mudarse vende las cosas que no quiere llevarse a su nuevo hogar. Puede que tengas juguetes o libros que no te vayan a hacer falta y quieras ponerlos en venta.

Será duro decir adiós a ciertas cosas. Sin embargo, habrá otras de las que te resultará más fácil despedirte.

Cómo puedes ayudar

Puedes ayudar empaquetando las cosas de tu habitación. Mamá y papá tendrán muchas cajas para meterlas. Pueden darte algunas y también papel. Sería buena idea poner todos los animales en una caja y escribir en ella lo que contiene.

Cuando llegues a tu nueva casa, sabrás qué cajas son de tu habitación y podrás empezar a desempaquetarlas. Tus muebles también estarán allí. Si necesitas ayuda para organizar tus cosas, pídesela a tus padres.

Te sentías muy a gusto en tu antigua habitación y seguro que la echarás de menos. Pero con la ayuda de tus padres tu nueva habitación quedará muy acogedora y te sentirás muy bien allí también.

¡Tantos cambios!

Al principio te resultará raro despertarte en tu cama rodeado de los mismos muebles y juguetes, pero en otra habitación. Seguramente los primeros días te preguntes dónde estás.

Ver una puerta, una ventana o el baño en un lugar diferente puede asustarte al principio. Pero cuando recuerdes dónde estás, intenta hacer algo especial para que no te resulte tan raro. Ya verás cómo, cuando pasen algunas semanas, ya no te preguntarás dónde estás cuando te levantes. ¡Sabrás que estás en casa!

Recuerda que mamá, papá, tu hermano o hermana y tu mascota también sentirán este cambio y si te ven adaptarte al sitio nuevo les resultará a ellos también más fácil adaptarse.

Sorpresas

Todo el mundo se cansa de empaquetar y desempaquetar cosas. Puede que durante un par de días comas bocadillos porque aún no se han desempaquetado ni las cacerolas ni las sartenes y todo el mundo está cansado por todo el trabajo que una mudanza conlleva.

A lo mejor piensas que se han perdido cosas con la mudanza. A medida que vayas desempaquetando redescubrirás muchas cosas. Verás cosas que llevabas mucho tiempo sin ver y otras que no habías visto nunca.

En pocos días, la nueva casa comenzará a parecer un hogar.

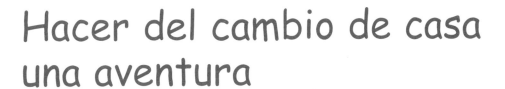

Hacer del cambio de casa una aventura

Haz que el cambio de casa se convierta en una aventura. Descubrirás muchas cosas interesantes en tu nueva casa, en el jardín o en el vecindario.

Mamá y papá estarán ocupados desempaquetando y colocando los muebles. Puedes ayudarles y después explora la casa y el jardín. Más tarde, tus padres y tú podéis dar un paseo y ver el vecindario.

Es mejor que comiences conociendo tu nueva casa y el jardín y después el vecindario y la gente que vive en él. Pronto conocerás también el colegio y a muchos niños de tu edad.

Pedir ayuda

No te dé miedo pedirle a mamá o a papá que te ayuden a adaptarte a las cosas y a la gente nueva. Cuéntales lo que te asusta o lo que te preocupa. Seguramente se sientan como tú (aunque son adultos).

A lo mejor también se cambiaron de casa cuando eran niños. Se acordarán de cómo se sentían y te contarán historias de las cosas buenas que tiene mudarse.

Si tienes mascota, quizá tampoco entienda qué es lo que está pasando y esté asustada. Ayúdala a que se sienta más segura haciéndole ver que cuidarás de ella lo mismo que a ti te cuidarán tus padres.

¡Hazlo tu hogar!

Pregunta a tus padres si puedes escoger el papel o la pintura para decorar tu nueva habitación. Incluso aunque el nuevo piso o la nueva casa estén ya decorados se pueden cambiar los colores.

A veces, te aburrirás en tu nueva casa, y quizás pienses que eso no te pasaba en tu antigua casa. Sin embargo, recuerda que eso también te ocurría allí. Intenta hacer cosas nuevas que conviertan los momentos aburridos en divertidos.

Si tu familia está construyendo una nueva casa, pídeles verla mientras está siendo construida. Da una vuelta por su interior y que te cuenten mamá y papá dónde estará cada habitación. Puede resultar divertido imaginar cómo será cuando las paredes y el tejado estén terminados y haya césped en el jardín.

¡No lo cambies todo!

Aunque haya muchas cosas que vas a estrenar en tu nueva casa, quizá quieras también conservar algunas de las antiguas porque ya estás acostumbrado a ellas.

Por ejemplo, te seguirá apeteciendo leer un libro antes de irte a la cama o que te lo lean mamá o papá. También querrás seguir rezando antes de dormir o antes de comenzar a comer. Si antes ponías los dibujos que hacías en el colegio en el frigorífico, ¡sigue haciéndolo!

Tener o hacer cosas que tenías o hacías antes te ayudará a sentirte a gusto en tu nueva casa.

Sigue en contacto con tus amigos

Haz fotos de tu antigua casa y de tus amigos y llévatelas. Diles a tus padres que te las lleven a revelar para poderlas colgar en tu habitación.

Haz fotos también de tu nueva casa y de los lugares que estás conociendo. Envíaselas a los amigos que ahora no puedes ver a diario. Tendrás que contarles muchas cosas sobre estos sitios y sobre la gente que has conocido allí.

Tu nuevo colegio

Visita tu colegio cuanto antes, si tienes oportunidad de hacerlo. Las semanas previas al comienzo del curso la mayoría de los profesores están ya en sus clases preparándolo todo. Pídeles a tus padres que te lleven a conocer al director y que te enseñen cuál será tu clase. Quizá esté allí tu profesor y tengas oportunidad de conocerle.

Preséntate a los niños de tu vecindario. Probablemente vayáis al mismo colegio y así conocerás a otros niños de tu edad. Pasando el tiempo con ellos te darás cuenta de que tenéis muchas cosas en común.

Presentaciones

Seguro que los vecinos irán a tu casa a saludaros y a dar la bienvenida a la familia. Te contarán cosas del vecindario y de los niños de tu edad que viven cerca. ¡Tienen tanta curiosidad por conocerte como tú a ellos!

No hace falta que esperes a que vengan primero tus vecinos a casa. Pídele a mamá o a papá que vaya contigo a conocerles. Hacer amigos comienza con decir simplemente "Hola" en la iglesia, en el colegio o en el parque.

"Tu hogar está donde está tu corazón"

Hay un proverbio que dice: "Tu hogar está donde está tu corazón", y significa que hacer de una casa un hogar se consigue poniendo mucho amor donde vivas. Sea cual sea el lugar.

A lo mejor te vas a cambiar a otra casa o a un piso, pero lo que hace de un lugar un "hogar" eres tú, tu madre, tu padre, tus hermanos o hermanas y tu mascota. Ellos te quieren y tú también a ellos.

Eso es lo más importante en un hogar.

Michaelene Mundy ha escrito otros Duendelibros para niños, como *Cuando me enfado, Cuando estoy triste, Cuando estoy estresado, Cuando voy al cole* y *Cuando rezo.* Maestra de profesión, ha trabajado con niños discapacitados y ha sido pedagoga. Actualmente trabaja como psicopedagoga en un instituto privado.

R. W. Alley es el ilustrador de los populares Minilibros Autoayuda, y es también ilustrador y escritor de otros libros para niños. Vive en Barrington, Rhode Island, con su esposa y sus hijos.